MW01075409

# Mein Esel Benjamin

Bibliografische Information der Deutschen Nationalbibliothek
Die Deutsche Nationalbibliothek verzeichnet diese Publikation
in der Deutschen Nationalbibliografie;
detaillierte bibliografische Daten sind im Internet über
http://dnb.d-nb.de abrufbar.

Miniausgabe – originalgetreue Verkleinerung der großen Ausgabe.
Die großformatige Originalausgabe ist weiterhin lieferbar.



15. Auflage 2010

Druck: L.E.G.O. S.p.A., Vicenza
Printed in Italy
ISBN 978-3-7941-9124-6
www.sauerlaender.de

# Mein Esel Benjamin

Eine erstaunliche,
aber bestimmt wahre Geschichte
für Kinder und große Leute,
erzählt von Susi

Idee und Text: Hans Limmer
Fotos: Lennart Osbeck

sauerländer

Das bin ich.
Eigentlich heiße ich Susanne.
Aber alle Leute nennen mich Susi,
weil ich noch so klein bin.

Und das ist Benjamin.
Manchmal nenne ich ihn nur Ben,
weil er auch noch so klein ist.
Er ist mein Freund.
Ihr könnt mir glauben,
es ist wunderbar,
einen kleinen Esel zum Freund zu haben.
Ich erinnere mich noch genau an den Tag,
an dem wir ihn mit nach Hause brachten.
Das kam so –

Papa und ich gingen spazieren.
Ich freue mich immer,
wenn ich mit Papa spazieren gehen darf,
denn dabei gibt's jedes Mal
eine Menge zu sehen:
Schmetterlinge
oder bunte Steine
oder eine Schlange
oder ein Fischerboot.
Doch diesmal fanden wir etwas anderes.

Wir waren schon eine ganze Weile gegangen.
Da hörten wir auf einmal vom Meer her
ein seltsames Geräusch.
Irgendjemand schnaufte dort ganz laut.
Es war, als ob ein Riese einen Schnupfen hat.
Ich wollte natürlich gleich nachschauen,
was dort los war.
Deshalb gingen wir an den Rand der Felsen
und schauten zu den Klippen hinunter.

Wir fanden aber keinen Riesen, sondern ein Baby. Ein kleiner Esel stand ganz allein zwischen den großen Felsstücken und konnte weder vor noch zurück. Wie mochte er dort hingekommen sein? Weit und breit war niemand zu sehen. Auch von der Eselmutter keine Spur. Ob er vielleicht hinuntergefallen war? Er schien sich aber nicht wehgetan zu haben. Vorsichtig kletterten wir ein bisschen näher zu ihm hin.
»Er ist erst ein paar Tage alt«, sagte Papa.
»Bitte, Papa, hol den kleinen Esel wieder herauf«, sagte ich.
»Ich glaube, er fürchtet sich da unten.«

Da kletterte Papa ganz hinunter
und holte das Eselbaby.
Ich hatte ein wenig Angst,
ob auch alles gut gehen würde.
Doch nach einiger Zeit
hatte Papa es geschafft.

»Was machen wir nun mit ihm?«, sagte Papa.
»Wir nehmen ihn mit«, sagte ich.
»Er freut sich bestimmt,
wenn er mit uns gehen darf.«

So kamen wir zu dritt in das Dorf zurück,
wo ich jetzt mit Papa und Mama wohne.
Es liegt auf einer Insel im Mittelmeer.
Früher haben wir in einer großen Stadt gewohnt.
Dort gab es nur Autos
und Straßenbahnen
und Hochhäuser.
Aber keine Schmetterlinge
und keine bunten Steine
und keine Schlangen
und keine Fischerboote. Und keine Esel.
Ich finde, dass es hier viel schöner ist.

Wir fragten alle Leute,
ob ihnen das Eselbaby gehöre.
Doch niemand wusste etwas davon.
So nahmen wir es mit nach Hause.

Mama machte natürlich große Augen, als sie uns kommen sah.
Und Angelika, meine kleine Schwester, quietschte in einem fort, wie sie es immer tut, wenn sie sich freut.
Ich glaube, die beiden hatten das Eselchen auch gleich gern.

Der kleine Esel
schnupperte sofort überall herum,
so, als ob er etwas suchen würde.
»Er hat bestimmt Hunger«, sagte Mama.
Ich lief in die Küche
und holte Brot und Käse
und Apfelsinen und Karotten
und was ich sonst noch finden konnte.
Aber er mochte nichts von all den Sachen,
die ich ihm brachte.

Da fiel mir Angelikas Flasche ein.
Sollten wir es nicht damit einmal probieren?
Das Eselchen war ja auch noch ein Baby.
Mama kochte Haferflocken mit Milch.
Ich rührte etwas Zucker hinein.

Und richtig –
es schmeckte
ihm
ausgezeichnet.

»Er muss auch einen Namen bekommen«, sagte Papa.
Wir überlegten alle zusammen
und dann sagte ich: »Er soll Benjamin heißen.«
Und damit er wusste, wie lieb ich ihn hatte, gab ich ihm einen Kuss.

Seitdem ist Benjamin bei uns.
Schaut nur, was für ein weiches Fell er hat.
Und welch zierliche Beine.
Und seine sanften Augen. Und seine Samtnase.
Das Schönste aber sind doch seine langen Ohren,
mit denen er so lustig wackeln kann.

Morgens, wenn Mama
mich gewaschen hat,
versuche ich, auch ihn ein
bisschen zu waschen.
Aber er mag das nicht.
Viel lieber trinkt er
das Waschwasser aus.

Unsere Muschi versteht sich ganz gut mit ihm.
Nur manchmal ärgert sie sich,
wenn er sie beim Frühstück stört.

Gern toben wir zusammen im Haus herum.

Oder wir machen
einen Spaziergang.
Ich zeige ihm dann
die vielen Gassen
unseres Dorfes …

… und die Wege,
von denen aus man auf
die Dächer
der Häuser sehen kann.

Wenn ich ihm eine Geschichte erzähle,
so hört er immer aufmerksam zu.

Und wenn Mama mir einen Verband machen muss,
dann will er auch einen haben.

Oft ist es schrecklich heiß hier.

Deshalb gehen wir fast jeden Nachmittag an den Strand.

Natürlich interessiert er sich auch für meine Spielsachen.
Es ist aber nicht so einfach mit ihm zu spielen,
weil er immer alles durcheinander wirft.
Muschi und ich finden das gar nicht nett von ihm.

Trotzdem haben wir viel Spaß miteinander.

Jeden Abend hole ich ein paar Kissen.
Daraus mache ich für uns beide ein Bett.
Ich sage ihm ganz leise ins Ohr:
»Gute Nacht, Benjamin.«
Dann schlafen wir zusammen ein.

Eines Tages gab es allerdings
eine große Aufregung.
Es war noch sehr früh am Morgen.
Papa und Mama schliefen noch.
Als ich aufwachte,
war Benjamin verschwunden.

Ich lief auf den Hof
und sah,
dass die Haustür offen
stand. Ob er
fortgelaufen war?

Schnell lief ich auf die Straße und sah gerade noch, wie Benjamin um die nächste Ecke verschwand.

Ich wollte ihn zurückholen
und lief hinter ihm her,
so schnell ich konnte.
Auch rief ich laut seinen Namen.
Aber es war, als hörte er mich nicht.
Endlich hatte ich ihn eingeholt.

»Wo willst du hin«, sagte ich.
Benjamin legte seine weiche Nase
an mein Gesicht,
stampfte ein paar Mal mit dem linken Fuß
und wackelte mit den Ohren.
Da wusste ich,
dass er ein bisschen herumstrolchen wollte.
»Nimmst du mich mit?«,
sagte ich.
Benjamin nickte mit dem Kopf
und rief dreimal ganz laut:
»i - ja, i - ja, i - ja.«

Also gingen wir beide zusammen weiter.
Ich war neugierig,
wohin Ben mich führen würde.
Bald waren wir aus dem Dorf heraus.
Wir kamen an den Fischerbooten vorbei,
die auf dem Wasser schaukelten.
Ich wäre ganz gerne hier geblieben,
aber Benjamin wollte davon nichts wissen.

Er lief bergauf und bergab,
über Steine und Wiesen,
weiter und weiter.

Zuletzt kamen wir an einen Strand mit herrlichen Kieseln.
»Hier wollen wir spielen«,
sagte ich und fing an, Steine ins Meer zu werfen.
Benjamin blieb stehen und wartete.

Wir waren beide müde von dem langen Weg.
Deshalb setzten wir uns hin, um ein wenig auszuruhen und zu plaudern.

Erst jetzt merkte ich,
dass wir in einer Gegend waren,
die ich vorher noch nie gesehen hatte.
Es war sehr einsam hier.
Ich hörte, wie mein Herz
ganz schnell und ganz laut klopfte.
Mir fiel auch ein,
dass ich Papa und Mama nicht Bescheid gesagt hatte,
bevor ich fortgelaufen war.
»Sie werden sich bestimmt Sorgen um uns
machen und uns vielleicht schon suchen«,
sagte ich zu Ben.
»Am besten gehen wir gleich wieder heim.«

Aber ich hatte nicht aufgepasst,
welchen Weg wir gekommen waren.
Wie sollte ich da wieder nach Hause finden?
Ich schaute hierhin und dorthin,
doch unser Dorf war nirgends zu sehen.

Da setzte ich mich wieder hin und weinte ein bisschen.

Ich glaube,
Benjamin war das gar nicht recht,
denn er stupste mich mit seiner Nase an.
Ob er er vielleicht den Weg
nach Hause finden konnte?
Ich sagte zu ihm:
»Bitte, lieber Benjamin,
geh wieder heim mit mir.«
Da nickte Ben wieder mit dem Kopf,
rief wieder dreimal laut »i - ja«
und lief vor mir her.

Und wirklich fand er den Weg zu unserem Dorf zurück.

Ich glaube, Papa und Mama waren sehr froh, als sie uns wieder sahen. Ich erzählte ihnen, dass Benjamin ganz allein den Weg gefunden hatte. Da bekam er eine Flasche Milch mit sehr viel Zucker.

Natürlich darf
Benjamin nun immer
bei uns bleiben.
Bald wird er so groß
und so stark sein,
dass ich auf ihm
reiten kann.
Darauf freuen wir uns
schon alle beide.